Alarm im Kasperletheater

Zeichnungen von Heinz Behling

Text von Nils Werner

Eulenspiegel Verlag

ISBN 3-359-00757-3

10. Auflage
© 2005 (1994) Eulenspiegel · Das Neue Berlin Verlags GmbH & Co. KG
Rosa-Luxemburg-Str. 39, 10178 Berlin
Reproduktionen: City-Repro, Berlin
Druck und Bindung: Salzland Druck Staßfurt

Die Bücher des Eulenspiegel Verlags
erscheinen in der Eulenspiegel Verlagsgruppe.

www.eulenspiegel-verlag.de

Kinder, seid ihr alle da?
Na, dann ruft mal laut – hurra!

Habt ihr schon gehört, ihr Leute:
Oma hat Geburtstag heute!
Darum sagte sie zu mir:
Kasperle, das feiern wir.
Lauf zum Bäcker Brezelbein
und kauf Pfannekuchen ein ...

Doch die Schüssel, die ist schwer,
deshalb stell ich sie hierher.
Aber ruft mich ganz bestimmt,
wenn hier irgendwer was nimmt!

Heißa, ruft der Teufel aus:
Kasperle ist nicht im Haus,
und der feine Zuckerguß,
ach – das ist ein Hochgenuß.

Ja, was tu ich – nehm ich einen?
Oder alle ...? Oder keinen ...?
Sicher sind sie abgezählt,
und er merkt, wenn einer fehlt.

Wenn ich mir nur einen kralle,
merkt er's – also nehm ich alle;
denn dann kann er sie nicht zählen,
ha! und weiß nicht, wieviel fehlen.

Ist denn das die Möglichkeit:
Keine Schüssel weit und breit?
Was ist los? Da staun ich ja,
eben war sie doch noch da.

Also na, ich glaube fast,
ihr habt gar nicht aufgepaßt.
Wie?? Der Teufel hat gestohlen?
Den soll gleich der Teufel holen!

Alarmiert durch das Geschrei,
eilt die Künstlerschar herbei:
Gretel und das Krokodil,
Zipfelbart und Schutzmann Schill,
Kräuterhexe Adelheid,
leicht benagt vom Zahn der Zeit,
und der Räuber Fridolin:
Alle sechs verachten ihn!

Würde er mit Gold entfliehen,
hätte Fridolin verziehen,
aber Pfannekuchen? Nein,
dieses kann er nicht verzeihn.
Deshalb rennt zuletzt auch er
dem Geschwänzten hinterher.

Halt, die Ampel steht auf Rot!
Dies bedeutet – Gehverbot!
Bitte, haltet Disziplin:
Gehen dürft ihr nur bei Grün!

Aber, aber, Schutzmann Schill
– widerspricht das Krokodil –,
ständig wächst der Appetit,
und der Teufel, der entflieht! –

Wer nicht hört, wird aufgeschrieben:
Teufel ist nicht stehngeblieben.
Kasperle ist nachgerannt.
Na, das kostet allerhand …!

Kasperle, im schnellen Lauf,
fällt die Ampel gar nicht auf,
denn im Eifer des Gefechts
sieht er nicht nach links und rechts.

He, du Teufel – wettert er –,
gib die Pfannekuchen her.
Oma denkt sonst über mich,
ich sei faul und liederlich.
Laß die dummen Abenteuer,
denk an die Geburtstagsfeier!

Doch der böse Teufel spricht:
Ei verflixt, nun grade nicht!

Weiter geht's auf schnellen Sohlen,
um den Teufel einzuholen.
Da passiert dem Schutzmann Schill
etwas, was er gar nicht will.

Kräuterhexe Adelheid
ist, wie immer, hilfsbereit.
Der verstauchte Schutzmannszeh
tut jetzt nur noch halb so weh.

Mit der Meterzahl der Binden
steigert sich das Wohlbefinden,
und schon kurze Zeit darauf
nimmt er die Verfolgung auf.

Ach, das dumme Gleichgewicht,
wenn man's braucht, dann hat man's nicht!
Auch dem König Zipfelbart
bleibt ein Unfall nicht erspart.
Glitsch! fällt seine Majestät
auf ihr wertes Sitzgerät.
Manchmal – hat er aufgeschnaubt –
stürzt man schneller, als man glaubt!

Fridolin, mit viel Vergnügen,
sieht des Königs Krone fliegen.
Zwischen sein Gebiß geschoben,
will er ihren Wert erproben.
Denn was Gold ist, merkt er gleich.
Reines Gold ist nämlich weich.
Aber ach, er beißt und grollt:
Das ist nur Trompetengold!

Fridolin gibt sie zurück,
und der König strahlt vor Glück:
Nimm den Orden hier zum Lohne
für die Rettung meiner Krone ...!

Kasperle spürt seinerseits
einen starken Hustenreiz.
Und der Qualm wird wattedicht
und nimmt Kasperle die Sicht.

Als sich dann der Qualm verzog,
sah man ihn im Wäschetrog
mit der Schüssel, mit der schweren,
ein Gewässer überqueren.

Rudernd mit den Gabelzinken,
sieht er schon das Ufer winken,
wo er – denkt er – ohne Hast
essen kann, soviel ihm paßt.

Doch der Teufel unterdessen
hat das Krokodil vergessen,
das man nämlich dann und wann
wie ein Boot benutzen kann.

Oh, wie hat es ihn erschreckt,
als er's hinter sich entdeckt.

Plötzlich sieht er Fridolin
seine Faustkanone ziehn.
Der verfehlt das Wäschefaß,
denn das Pulver wurde naß.
Wartet, schon beim nächsten Schuß
fällt der Teufel in den Fluß!
So schreit Räuber Fridolin,
aber Gretel bittet ihn:
Nicht auf unsern Teufel zielen,
er wird noch gebraucht zum Spielen!

So entkommt er wiederum,
und die andern gucken dumm.

Hier bedankt sich Zipfelbart
für die schnelle Überfahrt,
wähnend, daß das Krokodil
große Worte hören will.
Doch es freut sich kaum darüber:
Was zu essen wär ihm lieber!

Kasperle mit mehr Verstand
ist dem Teufel nachgerannt.
Seht, er hat den Schwanz erwischt,
und der Teufel faucht und zischt.
Da ergreift der Höllensproß
kurzerhand ein Wurfgeschoß …

Wenn das süße Mus der Pflaumen,
das bestimmt ist für den Gaumen,
plötzlich auf ein Auge fällt,
dann verfinstert sich die Welt.
Was besonders schmerzlich ist,
wenn's geschieht aus Hinterlist.

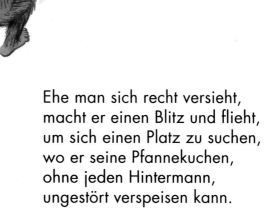

Ehe man sich recht versieht,
macht er einen Blitz und flieht,
um sich einen Platz zu suchen,
wo er seine Pfannekuchen,
ohne jeden Hintermann,
ungestört verspeisen kann.

Kräuterhexe Adelheid
ahnt den Zweck – und weiß Bescheid.
Wie in ihren besten Zeiten
sieht man sie gen Himmel reiten.
Und nach wenigen Sekunden
hat sie jenen Platz gefunden,
wo der Teufel sitzt und schmatzt,
daß man fürchten muß, er platzt.

Adelheid, in kühnem Bogen,
ist sofort zurückgeflogen.
Man vernimmt die böse Kunde
staunend und mit offnem Munde
und orakelt allerlei,
was da wohl zu machen sei.

Kasperle hat unverzagt
einen Meisterschuß gewagt,
denn die Wolke, regenschwer,
tropft, durchlöchert, langsam leer.
Folglich sinkt sie sanft hernieder,
und – man hat den Teufel wieder!

Übersättigt, wie er ist,
sinnt er nicht auf Hinterlist,
sondern wimmert: Ach, herrje,
ach, mein armer Bauch tut weh …

Oma sagt sich ruhelos:
Ach, wo bleiben sie denn bloß?
Kasperle versprach heut morgen,
Pfannekuchen zu besorgen;
doch ich mußte selber laufen,
um das Backwerk einzukaufen.
Ach, es ist doch stets das gleiche:
Nichts im Kopf als dumme Streiche!

Bitte, liebe Großmama,
schimpfe nicht, wir sind schon da!

Herzlich wird ihr gratuliert,
und sie ist zutiefst gerührt.
Aber bald hat sie erspäht,
daß der Teufel abseits steht,
und sie winkt ihn 'ran und spricht:
Na, da stimmt doch etwas nicht!

Da gesteht der Teufelsbraten
alle seine bösen Taten
und verspricht: Ich will es nun
ganz bestimmt nicht wieder tun!

Oma schaut und sagt betroffen:
Freundchen, na, ich will's auch hoffen!
Bei dem nächsten Diebesschmaus
geht es nicht so milde aus.
Beßre dich, und merk es dir!
Nun mach Licht, jetzt feiern wir ...

Wenn euch unser kleines Spiel
halb so gut wie uns gefiel,
na, dann klatscht und geht nach Haus.
Damit Schluß. Das Spiel ist aus.